octobre

Photos de la couverture : John Taylor
Photos de l'intérieur : André Le Coz

Maquette de la couverture : Jacques Léveillé.

ISBN 0-7761-0063-7

© Copyright Ottawa 1977 par Les Éditions Leméac Inc.
Dépôt légal — Bibliothèque nationale du Québec
3ᵉ trimestre 1977

octobre

marcel dubé

THÉÂTRE/LEMÉAC

Octobre,
le présent à la lumière du passé

par Jean-François Crépeau

Aujourd'hui que l'œuvre dramatique de Marcel Dubé a franchi le cap des vingt-cinq ans d'existence, qu'il a atteint une maturité certaine, il est intéressant de faire un bref retour en arrière pour faire lecture d'une pièce de jeunesse.

En 1954, le jeune dramaturge a déjà connu de très grands succès. De l'autre côté du mur *(1952)* et Zone *(1953)* ont fait époque dès leurs premières représentations. Le réalisme des actions proposées et du langage des personnages plaisait au grand public et soulevait l'ire de la critique. C'est ainsi qu'on avait traité le théâtre de Gratien Gélinas. C'est ainsi que l'œuvre de Michel Tremblay allait être accueillie à la fin des années '60.

La réussite est parfois éphémère. Ce ne fut pas le cas de Marcel Dubé. Au même moment où on commence à le saluer, il écrit et fait jouer de courts textes dramatiques radiophoniques.

D'une part, ces textes lui permettent d'établir et de prendre possession de tous les outils nécessaires au dramaturge. La langue étant certainement l'élément le plus important de cette appropriation. D'autre part, il crée lentement la galerie de ses personnages et trace l'itinéraire de ce qu'il est convenu d'appeler maintenant «le monde de Marcel Dubé».

Octobre fait partie de ces essais dramatiques. Présentée pour la première fois sur les ondes de la radio de Radio-Canada, à l'émission «Nouveautés dramatiques» du 5 décembre 1954, cette pièce fit l'objet d'une lecture publique au Centre d'essai de l'École des Beaux-arts en 1959. L'année suivante, elle est jouée au Théâtre des Auteurs, sur la scène du Studio de la rue Saint-Luc. Le texte de cette version scénique est publié en 1964 dans Les Écrits du Canada français (volume 17). Finalement, le 8 février 1976, la télévision d'État présente Octobre dans le cadre de son émission «Les Beaux Dimanches».

Le trajet de la pièce est important pour bien la situer dans l'ensemble de l'œuvre et lui donner sa juste valeur. Car il est des œuvres comme des hommes: certaines passent, d'autres restent. Si Octobre est passée, elle n'en est pas moins significative de l'évolution de l'auteur.

X

Ainsi, avec d'autres dramatiques radiophoniques de la même époque, cette pièce rompt quelque peu avec le cadre des premiers textes. Changeant ses personnages de milieu social, Marcel Dubé expérimente ici de nouvelles actions, un nouveau langage. Sans pour autant délaisser le réalisme.

Octobre se joue dans une famille bourgeoise de la ville de Québec, loin du faubourg de Zone. La préoccupation de la liberté demeure et se manifeste à travers un langage différent. L'aspect poétique, présent partout dans l'œuvre de Dubé, prend alors des élans plus lyriques, voire même plus romantiques.

À observer de près les personnages d'Octobre, à la lumière des œuvres plus récentes, ils nous semblent presque des monolithes desquels on a tiré des dizaines de formes précises.

Hélène, narratrice et personnage principal de la pièce, a dans la trentaine. Épouse d'un médecin, elle fut la maîtresse de Simon. Cette liaison amoureuse, source de l'action d'Octobre, se termine par l'annonce de la venue d'un enfant. Deux ans plus tard, Hélène retrouve Simon chez les Johanssen, revoit les grands instants de sa passion et s'assure de sa pureté nouvelle.

En cela, la relation qu'elle a eue avec Simon lui a apporté, dans sa synthèse, une force et une vitalité qu'elle seule n'avait pu trouver. Devant le choix de donner ou de refuser la vie, elle s'est révélée à elle-même. Elle s'est aussi tracé une ligne de conduite, celle de la maîtrise de ses sen

Dans l'univers féminin dubéen, Hélène annonce *Claudia* d'Un Matin comme les autres, *Laura* d'Au retour des oies blanches, *Madeleine* d'Entre midi et soir, *Françoise de* Pauvre amour et *Hélène de* L'Été s'appelle Julie. *Comme elles, arrivée à l'âge où «les femmes sont belles», abîmée et compromise, Hélène a assumé son destin et en fait sa force.*

Christine, pour sa part, ne peut que rappeler la jeune fille pure et naïve, l'héroïne intraitable omniprésente dans le théâtre de Dubé. Si le milieu social dans lequel elle vit ne lui a pas donné l'occasion de s'affirmer, comme c'est le cas pour Ciboulette de Zone ou Florence de la pièce du même nom, Christine n'en demeure pas moins l'esquisse certaine de Johanne du Temps des lilas *ou de Julie de* L'Été s'appelle Julie, *pour ne mentionner que celles-là. Si Christine ne semble pas avoir la force d'autres jeunes héroïnes, elle n'en a pas moins le courage et l'audace. Comme ses «sœurs», elle ne peut se résoudre à accepter la trahison de l'être aimé. Chez elle, tout est intérieur et ses paroles traduisent de façon incomplète ce qu'elle est vraiment. Cela s'explique, par exemple, par un personnage comme Geneviève d'Au Retour des oies blanches, une autre Christine. Geneviève qui, comme on le sait, poussera la possession du langage et de la parole-vérité jusqu'à sa destruction. Christine arrive au même résultat, sans pouvoir dire.*

De Madame Johanssen, nous devinons plus que nous savons. Veuve fortunée, elle s'apparente à

Hélène, Évelyne, Angéline et *Murielle* des Beaux Dimanches.

Quant à *Simon*, le seul personnage masculin en scène, hormis les silencieux invités de Madame Johanssen, il est un être complexe. S'il est encore permis de mentionner «l'impuissance» et l'incapacité «d'aller jusqu'au bout» des personnages masculins dans l'œuvre de Marcel Dubé, ces expressions décrivent justement Simon. Son caractère se révèle par le lustre de ses paroles. Il ensorcelle ses femmes. Hélène, il l'aura tirée de l'ennui d'être la compagne d'un médecin dévoué. Il lui aura restitué par la voie du plaisir un certain goût de liberté jusqu'au seuil de l'engagement, jusqu'à ce que le rêve devienne réalité. Mis au fait de l'enfant qu'Hélène attend de lui, Simon voit son univers de liberté pour elle-même s'écrouler. Point d'engagement possible. Alors tous les prétextes sont bons.

Il agira sensiblement de la même façon avec Christine Johanssen. La prenant pour plus naïve qu'elle n'était réellement, Simon lui ouvrira inconsciemment les portes du suicide.

S'il ressemble à beaucoup de personnages d'autres pièces, c'est à *Étienne*, l'ami de Dominique dans Les Beaux Dimanches, qu'il s'apparente le plus. Comme lui, il refuse la réalité présente (dans les deux cas, la grossesse de leur femme) pour le mystère de l'avenir. Un avenir qu'on n'arrête pas de repousser et qui, tôt ou tard, comme pour William Larose de Bilan, se révèle décevant.

Il n'y a cependant pas seulement les personnages d'Octobre qui annoncent les pièces futures. Déjà en 1954, il ne faut pas l'oublier, Dubé choisit d'autres éléments pour composer son action et son univers dramatiques.

Le titre même de la pièce, Octobre, deviendra le temps de l'année privilégié. En effet, la majeure partie de ses œuvres se situe en automne. L'heure du jour y est aussi: les fins d'après-midi, l'entre chien et loup qui ajoute à l'atmosphère tragique.

Et les lieux! Le salon, le jardin aussi fidèle que la saison. La falaise, le hors-scène figuré par la suite par la chambre à coucher. La chambre de Simon. Tous ces endroits où s'opposent lieux ouverts et lieux fermés, les favoris du théâtre nord-américain.

Mais au-delà de ces détails techniques importants, le milieu social et la langue des protagonistes d'Octobre annoncent sans aucun doute une ère encore à venir au moment de sa présentation.

Le monde bourgeois, celui-là même qui sera de toutes les pièces d'après Bilan, est abordé ici. Peut-être à cause de la présence de la narratrice, nous sommes en double position d'observation. Au premier plan, des personnages silencieux. Au deuxième, le caractère individuel des quatre personnages qui vont et viennent d'un plan à l'autre. Comme si l'un n'était pas conciliable avec l'autre. Un peu comme des figures fortes en couleur sur un fond pastel.

XIV

Ceci n'est pas sans donner l'illusion de romantisme. Sans chercher prétexte, il faut encore se rapporter au moment où la pièce fut écrite et jouée. En début de carrière, l'écrivain est en lutte constante avec l'influence de ses lectures de jeunesse.

Reste le langage d'Octobre. Si aujourd'hui il semble lyrique, il ne correspond pas moins à une des préoccupations fondamentales de Marcel Dubé, c'est-à-dire une certaine recherche linguistique dans un cadre réaliste. Ayant connu le succès du langage populaire, il essaie un langage plus près de l'écriture. Il s'approprie un autre niveau de langue, un autre instrument de son art. C'est d'ailleurs dans cette direction qu'il orientera son œuvre quelques années plus tard.

Octobre se révèle donc à nous comme un inventaire adroit de différents projets qui se sont concrétisés avec les années. Il ne faut toutefois pas nier son existence propre, tout en faisant abstraction des œuvres qui ont suivi.

Car, s'il est une qualité première à Octobre, c'est sa poésie. Une poésie pure, sans détour. Une fraîcheur qui, si on se laisse emporter, nous entraîne dans l'univers du spectacle théâtral. Malheureusement, les choses ont bien changé depuis les années '50 et le merveilleux est plus difficilement atteigna-

ble. Malgré tout, «le monde de Marcel Dubé» a nourri deux décennies de spectateurs fidèles et il continue de le faire.

Et si Octobre se présente aujourd'hui comme une séquence de ce «monde», il est peut-être aussi l'embryon d'œuvres à venir.

Jean-François Crépeau, m.a.
Iberville, septembre 1977.

Marcel DUBÉ naît le 3 janvier 1930 à Montréal. Son enfance se joue dans les rues du «faubourg à m'lasse», puis dans les environs du Parc Lafontaine. Il se souvient de ses premières années d'école primaire chez les religieuses du Jardin de l'Enfance, chez les laïcs de l'école Champlain. C'est l'âge des bandes d'adolescents naïfs, rêveurs, bâtisseurs de chimères.

Le Collège Sainte-Marie, grand carrefour des Jésuites, reçoit des «génies en herbe»! Marcel Dubé y poursuit ses études classiques. Il s'intéresse particulièrement aux lettres françaises, aux premiers cours sur la littérature canadienne-française. Il s'intéresse aussi au hockey. Très jeune, il devient le gardien de but de la «grande équipe» du Collège.

Le Sainte-Marie, c'est aussi le Gesù. Le collégien assiste à de nombreuses représentations théâtrales. En 1948, il présente au concours littéraire de l'Association Catholique des Jeunes Canadiens un recueil de poésie, *Découvertes intérieures*.

Le collège terminé, il fait un bref séjour dans les Forces armées canadiennes. L'année suivante, 1951-1952, il s'inscrit à la Faculté de Lettres de l'Université de Montréal. Il souhaite y obtenir une licence, peut-être une maîtrise, et devenir professeur ou...

Mais, déjà en 1950, *Le Bal triste*, pièce en un acte, a été joué à la salle de l'Ermitage du Collège de Montréal. *De l'autre côté du mur*, en 1952, l'oblige à choisir: poursuivre ses études ou se lancer dans l'inconnu de la création dramatique à plein temps.

La suite est presque du domaine public. «La Jeune Scène», sa troupe, remporte de nombreux prix au Festival National d'Art dramatique de 1953, avec *Zone*.

Les titres se succèdent. La scène, la radio et la télévision accueillent ses œuvres. Par exemple, «Les Nouveautés dramatiques» à la radio de Radio-Canada diffusent quatorze dramatiques en peu de temps: trois en 1951, trois en 1952, six en 1954 et trois en 1957. À la télévision d'État, entre 1952 et 1972, on présente vingt-trois téléthéâtres, un quatuor, deux feuilletons. À la scène...

Le théâtre de Marcel Dubé s'engage profondément dans le projet d'une dramaturgie québécoise, nationale.

Au mi-temps d'une carrière, à peine ralentie par les caprices de la maladie, on retient trois étapes: du *Bal triste* à *Bilan* (1950-1960), c'est l'enfance d'un univers dramatique; de *Bilan* à *Un Matin comme les autres* (1960-1968), c'est l'adolescence, la crise et l'éclatement; d'*Un Matin comme les autres* au *Réformiste* (1968-1977), c'est l'âge du jeune adulte, de la trentaine en action. À moins que *Le Réformiste* n'ouvre une nouvelle ère!

Il a beaucoup écrit, on l'a beaucoup joué. Force ou faiblesse? Une chose est certaine: les gens du Pays s'identifient à son œuvre.

Bref, *Zone*, *Un Simple soldat*, *Au Retour des oies blanches* sont devenus des «classiques». Ils ont brisé la limite des intentions dramatiques.

Et ce n'est là qu'une face d'un ensemble littéraire. Marcel Dubé a fait aussi du journalisme, des scénarios, des... De la poésie dont *Poèmes de sable*, un des plus grands recueils parus ces dernières années, est un parfait témoignage.

Demain, Dubé...

Jean-François Crépeau, m.a.
9 février 1977.

OCTOBRE

PERSONNAGES

HÉLÈNE
SIMON
CHRISTINE
MADAME JOHANSSEN

La terrasse arrière d'une villa d'été.

Des arbres, des arbustes, des fleurs qui s'attardent, une table, deux chaises droites et une chaise longue de jardin.

L'action se passe un beau dimanche d'octobre et les choses donnent l'impression qu'elles vont être bientôt remisées avant l'hiver.

Il reste peu de feuilles aux arbres et aux arbustes. La terrasse surplombe le fleuve que nous ne voyons pas mais dont nous entendons les vagues à certains moments.

Il approche quatre heures de l'après-midi. Jamais le soleil n'éclairera les choses et les êtres avec autant de douceur.

À la première scène nous sommes dans le noir, c'est-à-dire qu'un pâle et unique rayon de lumière éclaire Hélène qui se tient très droite, le regard fixe, au milieu du décor. Une musique nostalgique traîne en arrière-plan.

HÉLÈNE

Octobre... Ce jardin au bord du fleuve... Madame Johanssen nous y avait invités par un étrange dimanche d'octobre... Le soleil était tiède et sa lumière avait à la fois la douceur de l'amour et l'attrait de la mort. Ici même, sur cette terrasse, vers la fin de cette journée resplendissante et tragique, le destin avait pris rendez-vous avec quelques convives... L'histoire que je raconte se passe dans mon souvenir. Elle est simple, presque banale, mais j'essaierai de la revivre avec fidélité.

La falaise.

Le rayon de lumière solitaire s'évanouit. Hélène disparaît. Et graduellement nous sommes transportés dans la lumière de l'aprèsmidi. On ne trouve personne dans le décor mais on entend les vagues du fleuve qui battent contre la falaise et une légère musique de danse nous arrive de la villa. Simon, qui vient d'escalader la falaise, paraît le premier dans le paysage. Essoufflé, penché vers le vide, il tend la main à Christine, invisible, qui le suit.

SIMON

Attention, Christine !... Appuie ton pied sur la grosse pierre. Serre-moi la main mieux que ça...

5

Ferme les yeux et fais-moi confiance... *(Avec force il attire Christine vers lui.)* N'aie pas peur!

À son tour, aidée par Simon, remontant du vide, paraît Christine qui pousse un petit cri et se jette dans les bras de Simon, puis éclate de rire.

CHRISTINE

Tu vois? J'ai réussi! Tu m'as aidée un peu mais ça m'a pris beaucoup d'adresse et de courage... C'est la première fois que je remonte comme ça.

SIMON

C'est une falaise quand même escarpée... Et maintenant que je te tiens dans mes bras, je peux bien t'avouer qu'à la dernière seconde j'ai éprouvé du vertige pour toi.

CHRISTINE

Moi, je n'ai pas eu peur, Simon. C'était comme si on avait joué avec la mort. Mais je n'avais pas peur. Tu étais mon vertige et tu m'attirais vers le haut. C'est drôle, hein!

SIMON

Oui. *(Sourit tristement.)* Mais ne parle pas de mort, aujourd'hui! C'est un mot qui se dit mal au soleil... Viens, nous ferions mieux de rentrer, maintenant, ta mère doit s'inquiéter de notre absence. Nous n'aurions pas dû la laisser toute seule avec ses invités.

CHRISTINE

Des gens qui m'ennuient, qui ne seront plus jamais jeunes... Regarde comme c'est beau et personne ne vient dehors. Personne ne pense à se promener sous les arbres ou au bord du fleuve. Ils restent enfermés à boire des «cocktails» et à bavarder... Nous serons les seuls, Simon, à avoir vu les canards sauvages et les mouettes, aujourd'hui... Tu as bien fait de m'entraîner. Je t'en remercie. Si tu veux, tout à l'heure, nous danserons ensemble. Je choisirai la musique que tu aimes et nous danserons. Tu veux?

SIMON

Oui, Christine...

Et se tenant par la main, ils regagnent la villa.

7

Terrasse et jardin extérieur villa.

Simon et Christine traversent la terrasse et entrent dans la villa.

Salon intérieur villa.

L'intérieur de la maison où se retrouvent des couples d'âges variés. Madame Johanssen, qui s'entretient avec quelques invités, voit paraître Christine et Simon qui rentrent de l'extérieur. Aussitôt elle leur fait signe d'approcher, ce qu'ils font.

MADAME, *à ses invités*

Vous avez rencontré Christine, j'en suis certaine, et le jeune homme qui l'accompagne... *(Les autres font oui de la tête.)* Je dois les surveiller, ils sont toujours perdus dans la nature. Christine s'est découvert une passion pour la botanique et les oiseaux...

CHRISTINE

J'ai entendu chanter deux tourterelles... tristes...

8

MADAME

Mais vivantes, j'espère... L'autre jour elle a ramassé un oiseau blessé et elle l'a rapporté dans sa chambre. C'est moi qui l'ai retrouvé, mort et décomposé... La prochaine fois, fais-les empailler. *(Les autres rient.)*

CHRISTINE

Jamais! Empaillés, c'est encore plus triste à voir, je les aime mieux blessés, avoir la chance de les soigner.

MADAME

C'est pourtant ce qu'on doit faire avec les enfants aujourd'hui.

CHRISTINE

Est-ce que c'est dangereux d'être une enfant?

MADAME

Pour certaines petites filles ça peut l'être... Elle a si peu connu son père, ça lui a manqué. Elle avait à peine dix ans lorsqu'il est disparu. *(Elle aperçoit Simon qui a découvert quelqu'un parmi les invités. Il s'agit d'Hélène, et Simon est fasciné... À Simon.)* Tu veux boire quelque chose?

SIMON

Merci, pas tout de suite... Est-ce que tu m'excuserais un moment?

CHRISTINE

Mais oui. *(Il s'éloigne.)*

MADAME, *caressant les cheveux de Christine*

Laisse-lui un peu de champ libre, ce n'est pas un oiseau en cage...

CHRISTINE

C'est seulement en cage qu'ils sont à l'abri de tout.

MADAME

Sois prudente, Christine... Quand on devient possessive, on est très malheureuse.

Un convive invite Christine à danser. Elle va d'abord refuser puis accepte.

Terrasse et extérieur villa.

Paraît Hélène. Elle donne l'impression d'être sortie brusquement de la maison et de chercher un refuge derrière un bosquet ou de jeunes arbustes. Elle est très belle. Elle tient un grand chapeau de paille au bout de ses mains. Elle s'immobilise soudain, provisoirement à l'ombre de regards invisibles, et fixe le fleuve. Nous n'entendons plus la musique, seulement les vagues.

HÉLÈNE

Pourquoi avais-je répondu à cette invitation ? Il n'y avait qu'un seul garçon au monde que je ne tenais plus à revoir, et c'était Simon. Depuis deux ans, d'ailleurs, j'étais sans nouvelles de lui et j'avais presque réussi à l'oublier. Lorsque je le vis paraître dans le salon de Madame Johanssen, j'eus comme un choc, j'éprouvai tout de suite le besoin de l'éviter par tous les moyens. Mais je savais qu'il m'avait vue, et je savais aussi qu'il tenterait de s'approcher de moi. Un moment, l'idée me vint de m'enfuir comme une voleuse. Mais je pris plutôt le parti de m'esquiver et de me réfugier ici, avec l'espoir qu'il n'aurait pas l'audace de me suivre. *(Elle s'assoit.)* Mais pendant combien de temps durerait le sursis? Il faisait bon dehors... j'écoutai les vagues du fleuve battre la falaise. La brise m'apportait la fine odeur des roses tardives.

Paraît Simon qui s'immobilise d'abord très droit devant la porte de la maison. Après avoir repéré Hélène, il s'avance discrètement et se retrouve tout près d'elle. Mais elle ne le voit pas. Alors l'idée lui prend de placer ses deux mains devant les yeux d'Hélène de façon à lui masquer totalement la vue!

SIMON

Qui suis-je, madame?

HÉLÈNE, *sursautant*

Je ne sais pas et vous me faites mal aux yeux.

SIMON

Vous ne reconnaissez pas ma voix?

HÉLÈNE

Je reconnais les gens à leur visage...

SIMON

Un petit effort de mémoire, voyons? Nous nous sommes croisés dans le salon il y a quelques instants. Vous m'avez aperçu, et vous avez tout de suite détourné la tête comme si vous ne m'aviez pas vu.

HÉLÈNE

Votre jeu ne m'amuse pas du tout.

SIMON

Vous donnez votre langue au chat?

HÉLÈNE

Au chat ou au diable, si vous voulez. Mais, de grâce, cessez!

SIMON

Voilà! Je vous avais ôté la lumière, je vous la rends.

HÉLÈNE, *froide et feignant la surprise*

Simon !

SIMON

Ce n'est que moi, oui !

HÉLÈNE

Qu'est-ce que vous faites ici ?

SIMON

J'accompagne Christine Johanssen. Vous le savez, elle était à mon bras tout à l'heure.

HÉLÈNE

Je ne vous ai pas vu. Il y a plus de trente personnes à l'intérieur. Si je vous avais vu, je vous aurais au moins salué... Prêtez-moi ce savoir-vivre.

SIMON

Je vous donne le bénéfice du doute.

14

HÉLÈNE

Je ne vous le demande pas.

SIMON

Bon... Je vois que vous m'en voulez toujours, que vous n'avez pas cessé de me détester.

HÉLÈNE

Croire que je vous en veux ou que je vous déteste c'est vous accorder trop d'importance.

SIMON

Vous avez un peu changé depuis...

HÉLÈNE

J'ai changé et j'ai vieilli. C'est dans l'ordre des choses.

SIMON

Je n'ai pas parlé de vieillissement... Votre mari n'est pas avec vous? Je ne l'ai pas vu.

HÉLÈNE

Il est à Québec. Un congrès de médecins.

SIMON

Le sort vous favorise. Vous avez toujours aimé vous sentir libre... provisoirement.

HÉLÈNE

Vos plaisanteries sont désagréables.

SIMON

Je ne plaisante pas. Je parle comme vous parliez il y a deux ans. Quand il lui arrivait de s'absenter...

HÉLÈNE

C'était il y a deux ans. En deux années il se passe beaucoup de choses.

SIMON

Oui... Mais vous n'avez surtout pas vieilli... Vous ne vous inquiétez pas de savoir si j'ai aimé mon voyage en Angleterre?

HÉLÈNE

Ce que vous avez pu faire depuis deux ans ne m'intéresse pas du tout.

SIMON

Je vous comprends. Vous avez raison d'avoir cette amertume.

HÉLÈNE

Il n'y a en moi aucune amertume.

SIMON

À quoi pensiez-vous toute seule dans ce jardin?

HÉLÈNE

Je me reposais. J'avais besoin de me détendre un moment, de regarder le fleuve, de profiter du soleil.

SIMON

Et vous n'attendiez... personne?

HÉLÈNE

Personne.

SIMON

C'est bien ainsi... Pendant un moment, j'ai cru...

HÉLÈNE

Vous prenez vos présomptions pour des réalités.

SIMON

Je suis présomptueux, oui... ou pragmatique. Avec les femmes, j'ai appris l'art des faux semblants.

HÉLÈNE

Comment pouvez-vous dire ça, vous qui ignorez ce qu'est une femme?

SIMON

Je regrette d'affirmer que je vous connais beaucoup mieux que vous ne le croyez, Hélène.

HÉLÈNE

Prétentieux!

SIMON

Non, je vous connais jusqu'au bout des ongles, jusqu'à la racine de vos cheveux, jusqu'à la fine pointe de votre être où se rencontrent votre conscience et votre inconscience, dans la moindre parole, le moindre geste...

HÉLÈNE

Continuez, vous parvenez à m'amuser. Qu'est-ce qu'une femme, Simon?

SIMON

C'est une espèce de bipède ondulant qui conspire avec la beauté du ciel et la douceur du soleil, avec la musique, avec l'air que l'on respire, avec la couleur des îles qui dérivent sur l'eau bleue du fleuve... Cette nuit, Hélène, vous serez complice des astres, vous conspirerez avec la voie lactée, et vous mentirez au milieu de l'amour.

HÉLÈNE

Dire qu'un jour j'ai pu me plaire à ce genre de littérature, dire que vous parveniez à me bercer, à me tromper avec des mots qui prennent leurs racines dans vos duperies ou vos ruses maladives.

SIMON

Cela vous rend plus belle d'être une femme déçue.

HÉLÈNE

Je ne suis pas une femme déçue, et pourquoi ne vous taisez-vous pas? Pourquoi ne me laissez-vous pas seule?

SIMON

Parce que je continue, après cette longue année d'absence, d'être amoureux de vous et de constater à quel point vous êtes belle et désirable. Il y a cette épaisseur de tristesse au fond de vos paupières, cette lame de passion qui ne réussit pas à mourir derrière votre sourire... ce beau sourire de lassitude... Je vous trouve plus superbe que jamais, Hélène.

HÉLÈNE

Ce n'est pas moi! C'est le mois d'octobre qui est beau, ce dimanche de douceur et de clarté, ce n'est pas moi qui ranime vos désirs mais cette tiédeur qui nous environne, la couleur du ciel et de l'eau, l'or des roseaux, le velours de l'air... C'est tout cela qui vous envoûte et déverse sur moi votre lyrisme de jeune homme oisif.

SIMON

Mais ne voyez-vous pas qu'il existe un accord parfait entre la beauté de la nature et la vôtre?

HÉLÈNE

Si vous saviez comme je me sens perdue en cette journée d'automne, Simon!

SIMON

Cette journée d'automne aussi serait perdue sans votre présence, sans votre parfum, sans cette lumière sur votre visage.

HÉLÈNE

Mais non, mais non! Pourquoi ne cessez-vous pas de prendre vos beaux mensonges pour des choses palpables?

SIMON

Si le soleil brille une dernière fois, c'est pour vous, pour vous seule, pour mettre en relief tous les attraits de votre corps. Vous êtes mon octobre.

HÉLÈNE

Non! Rien en moi ne vous appartient. Plus rien. Le soleil m'inonde mais ne n'aime pas, c'est vous qu'il gâte. Sur moi, il coule, il glisse. Sur vous, sur votre jeunesse que j'ai eu un jour le malheur d'aimer, il resplendit, il reluit de tous ses feux.

SIMON

Comme j'ai été fou de vous laisser! Aujourd'hui, je vous revois et je comprends, Hélène. Je comprends enfin! Et je sais! J'aurais dû vous retenir, vous garder dans mes bras, rester avec vous pour toujours. Je le sais et je le sens jusqu'au fond de mes tripes.

HÉLÈNE

Ne trouvez-vous pas qu'il est trop tard pour regretter?

SIMON

Non. Je peux encore vous aimer.

HÉLÈNE

Mais tu ne m'as jamais aimée! Tu l'as cru, mais tu te trompais toi-même, et tu me trompais. Si tu m'avais seulement aimée un peu, tu n'aurais pas été lâche.

SIMON

Tu n'as pas le droit de dire ça! Je t'ai aimée comme je n'ai jamais aimé personne. Je t'aimais d'abord parce que tu étais la première vraie femme que je rencontrais dans ma vie, et...

HÉLÈNE

Et que je t'enseignais des plaisirs que tu ne connaissais pas. C'est toi que tu aimais, pas moi. Quand tu as su ce que tu voulais savoir, quand tu t'es rendu compte que tu t'étais compromis plus que tu ne l'aurais voulu, tu m'as laissée, tu es parti. C'est ça ta lâcheté.

SIMON

Non! Je suis parti parce que j'étais torturé. J'avais l'impression de ne pas pouvoir t'aimer assez et de te mentir toute ma vie. Je ne voulais pas te mentir. Je ne voulais pas être prisonnier d'un mensonge perpétuel. Et puis, tu avais un mari pour s'occuper de toi. Il pouvait prendre à son compte des responsabilités qu'il m'était impossible d'assumer. Quand je suis parti, j'étais dégoûté de moi-même. J'en étais arrivé à croire que, dans l'entreprise de l'amour, il ne fallait pas que la chair soit comprise.

HÉLÈNE

Le crois-tu toujours?

SIMON

C'est fini. Après toi, j'avais presque réussi à me désincarner et c'était tellement triste.

HÉLÈNE

Tu as connu d'autres femmes?

SIMON

...

HÉLÈNE

Combien?

SIMON

Je voudrais t'expliquer, te...

HÉLÈNE

Réponds! Tu as fait d'autres conquêtes?

SIMON

Les deux années qui viennent de s'écouler
sont deux années mortes pour moi.

HÉLÈNE

Tu te replies, tu ne réponds pas à ce que je te
demande. Nous allons tous les deux dans des di-
rections opposées, rends-toi compte de ça. Nous
ne sommes plus destinés à nous rencontrer. D'a-
bord, je n'ai pas ton âge! Je suis lucide et, jour

après jour, je réussis une chose merveilleuse: je domestique mes passions. Tu m'as fait un mal qui ne s'effacera jamais, mais j'ai survécu. Je n'investis plus la vie comme je l'ai fait dans les rêves fabuleux d'un tricheur.

SIMON

J'ai été honnête avec toi, je n'ai pas vraiment triché.

HÉLÈNE

Tu es d'une conscience effroyable!... Et je ne sais pas pourquoi je suis encore là à te parler, alors que je devrais te mépriser, alors que je devrais te démasquer devant tout le monde. Devant les amis de madame Johanssen, devant sa fille Christine, avant qu'il ne soit trop tard... Voyez tous! Sachez que ce brillant jeune homme n'est qu'un sale tricheur et que son existence même est un mensonge grotesque...

SIMON

Ça te donnerait quoi, exactement?

HÉLÈNE

Je serais soulagée de ma haine.

SIMON

Ce serait plus humain, plus dans ta nature de femme de me pardonner. Je croyais que...

HÉLÈNE

Oui, tu croyais! Mais bien sûr tu croyais! Tu croyais avoir tous les droits, tu croyais pouvoir te servir de moi à ta guise comme d'un jouet d'enfant, et après cela me laisser de côté sans que j'aie à souffrir, sans que j'aie à pleurer ni à riposter... Mon âme et mon corps t'appartenaient, et ce qui se trouvait dans mes entrailles aussi!... Mais tout cela n'avait aucun poids pour mon jeune amant... Seul son caprice, seule sa peur prenaient de l'importance... Rappelle-toi, Simon, le dernier soir, dans un coin du restaurant où tu m'avais donné rendez-vous... Tu ne voulais pas que je pleure... Tu voulais que je sois brave pour deux, tu voulais que je pense uniquement à ton avenir. Ma vie, mon amour, ma souffrance, tout cela n'était rien pour toi. Souviens-toi, souviens-toi, Simon... Il y avait une affreuse musique qui m'entrait dans le cœur et qui me déchirait comme des lames de couteaux, et tu ne faisais rien pour qu'on l'interrompe. Parce que tu n'aurais pu supporter mes paroles dans le silence.

Déjà, nous entendons la musique de «blues» qui accompagne ce souvenir et la lumière des lieux se décompose. Dans le noir, Hélène et Simon s'assoient dans les chaises du jardin qui deviennent, en même temps que la table, chaises et table du restaurant. Par un nouveau jeu d'éclairage nous nous retrouvons donc assez rapidement dans la lumière du restaurant du temps passé.

SIMON

Tu es totalement certaine et consciente de ce que tu viens de m'apprendre ?

HÉLÈNE

Totalement. Il est impossible d'en douter. Il faut maintenant voir les choses en face.

SIMON

Je n'étais pas préparé à ça, je dois te l'avouer. Ce n'est pas le genre de nouvelle qui...

HÉLÈNE

Tu n'es pas heureux ?

SIMON

C'est que... vois-tu ?... Je....

28

HÉLÈNE

Tu n'es pas heureux? C'est à ça que je veux que tu répondes.

SIMON

Disons que je ne considère pas que ce soit à prime abord une chose particulièrement réjouissante.

HÉLÈNE

Toi qui répètes sans cesse que tu aimes la vie sous toutes ses formes.

SIMON

Et c'est vrai que j'aime la vie! Mon amour pour toi, pour tout ce qui te touche de près en est une preuve. Mais de là à...

HÉLÈNE

Il ne faudrait pas que ton bel amour se concrétise de quelque manière que ce soit, fût-ce le plus naturellement du monde.

SIMON

Mets-toi à ma place. Qu'est-ce que je vais faire maintenant, hein? Qu'est-ce que je deviens tout à coup?

HÉLÈNE

Et moi, Simon? Je suis là, moi aussi.

SIMON

Toi, tu as ton mari, il va s'occuper de toi. Moi je serai poursuivi par des remords toute ma vie.

HÉLÈNE

Mais quels remords?

SIMON

Jamais je n'ai voulu mettre d'enfant au monde.

HÉLÈNE

Mais tu m'as fait cet enfant en m'aimant? Et tu aurais des remords?

SIMON

Je n'ai pas voulu ce qui t'arrive. Je ne l'ai jamais voulu. C'est un pur accident du hasard et c'est d'une absurdité navrante.

HÉLÈNE

C'est tout ce que tu trouves à dire ?

SIMON

Je suis franc et honnête et tu me juges très durement, je le sens, mais...

HÉLÈNE

Je peux me séparer de mon mari. Je vivrais avec toi, je serais ta femme. Nous n'aurions plus à nous cacher pour nous voir, à mentir à tout le monde.

SIMON

Comprends-moi, Hélène, je ne peux pas sacrifier ma liberté du jour au lendemain, uniquement parce que j'ai eu la maladresse de te faire un enfant !

HÉLÈNE

Ta liberté! Tu disais que ta seule liberté c'était d'être prisonnier de mon lit.

SIMON

Évidemment, si tu reprends tout à la lettre. Mais, regarde-moi! Regarde-moi bien, Hélène! Est-ce que j'ai l'air d'un père de famille? Et crois-tu surtout que je pourrais vous faire vivre toi et lui?

HÉLÈNE

C'était ça? C'était seulement ça l'amour que tu disais avoir pour moi?

SIMON

J'aime mieux mourir que de m'enchaîner à quelqu'un ou à quelque chose, le reste de ma vie. Je ne veux pas m'enfermer avec une femme et un enfant jusqu'à la fin de mes jours. Je veux vivre avant! Je veux vivre! Je suis trop jeune encore pour accepter les responsabilités que tu souhaites me voir prendre.

HÉLÈNE

Tu es petit, mesquin, tu es un pauvre salaud.

SIMON

Injurie-moi, j'accepte d'avance. Mais ne me demande pas de reconnaître l'enfant que tu portes. Ton mari le fera si tu t'arranges pour qu'il ne se doute de rien. Tu es bien forcée de faire semblant parfois! Et je continuerai de te voir, de t'aimer comme avant.

HÉLÈNE

J'ai fait cet enfant en accord avec toi, par amour pour toi. Je peux m'en délivrer si je le veux. Mais je me disais que tu l'aimerais.

SIMON

Si tu l'as fait exprès, c'était pour mieux me posséder et m'enchaîner. Je lis bien dans ton jeu, maintenant.

HÉLÈNE

C'était pour mieux t'aimer, pour te rapprocher de moi, t'avoir à moi jour et nuit, oui, Simon!

SIMON

Tu es folle ! Tu aurais dû m'en parler dès le premier jour. Tu aurais su ce que j'en pensais.

HÉLÈNE

Mais tu disais souvent que tu aimerais me faire un enfant.

SIMON

C'était une façon de parler, pas plus !... Une attention particulière que j'avais pour toi.

HÉLÈNE

Tu es monstrueux ! C'était une façon de me mentir.

SIMON

Ce qui est monstrueux, c'est ce que je viens d'apprendre, subitement, comme ça.

Il se lève pour partir.

HÉLÈNE *crie*

Non! Ne pars pas! Ne pars pas! J'ai besoin de toi pour vivre.

La musique du restaurant se perd dans la nuit où nous sommes de nouveau plongés; ce qui permet à nos deux personnages de reprendre les positions qu'ils occupaient avant ce retour en arrière. Nous les retrouvons donc baignés de leur lumière de fin d'après-midi.

SIMON, *après un temps*

C'est un garçon?

HÉLÈNE

Ce n'est personne. Comme toi, il est retourné au néant sans laisser de traces qui puissent se voir.

SIMON

Aurais-tu préféré qu'il vive?

HÉLÈNE

Je l'aurais porté jusqu'à sa naissance si tu avais agi autrement.

SIMON

Je devrais avoir des remords?

HÉLÈNE

Je te fais remarquer que j'ai pris seule la responsabilité de mon acte.

SIMON

Je regrette que les choses se soient passées ainsi, mais du fond de mon cœur...

HÉLÈNE

Il est trop tard pour regretter, Simon, et qu'il ne soit jamais venu au monde n'efface pas ta lâcheté.

SIMON

Il n'y a pas eu que ça entre nous.

HÉLÈNE

Cet épisode ne te plaît pas? Le rôle que tu as joué n'est pas à ta hauteur?

SIMON

Quelle a été ta dernière phrase, déjà?

HÉLÈNE

Ma dernière phrase?

SIMON

Quand je me suis levé pour sortir du restaurant?

HÉLÈNE

«Ne pars pas, j'ai besoin de toi pour vivre.»

SIMON

C'était bien ça, je l'avais bien retenue. Et aujourd'hui, je crois que tu pourrais me répéter une autre fois les mêmes mots, si tu laissais parler ton cœur.

HÉLÈNE

Tu te trompes et ton orgueil me fait horreur.

SIMON

Ça m'est égal.... Tu avais besoin de moi pour vivre, et j'avais besoin de toi pour tuer mon ennui. À ta manière tu étais égoïste, toi aussi, tu ne pensais qu'à toi-même !

HÉLÈNE

Tu arranges trop facilement les choses... De toute façon je n'ai plus besoin de toi, aujourd'hui. Ce que j'avais à perdre, je l'ai perdu avec toi, quand tu es parti. Maintenant, je suis devenue ce qu'on appelle avec respect « une femme fidèle » et tu ne peux plus entrer dans ma vie...

SIMON

Chut !... Christine !... Elle nous a vus, elle s'amène ici !...

HÉLÈNE

Mais pourquoi t'énerves-tu ?

CHRISTINE, *qui s'approche derrière la haie*

Tu es là, Simon?

SIMON

Oui!... Viens, Christine.

CHRISTINE

Je ne vous ai jamais vue si radieuse, Hélène,
ni si jeune.

HÉLÈNE

Vous dites ça par gentillesse...

SIMON

Christine ne ment jamais, sauf quand elle se
tait. Alors elle cache tout ce qu'elle devrait livrer
d'elle-même et qu'elle n'ose pas.

CHRISTINE

Vas-tu rentrer, Simon?

SIMON

Pas tout de suite. Si tu permets, je vais causer encore un peu avec Hélène.

CHRISTINE

Ah ! Regarde, il y a un oiseau dans le ciel. C'est un épervier, à la façon qu'il plane.

SIMON

Elle connaît tous les oiseaux, maintenant.

HÉLÈNE

Vous avez de la chance. Moi, c'est à peine si je puis nommer une hirondelle.

SIMON

Il vole très haut ton épervier.

CHRISTINE

Sans lui, le ciel serait complètement bleu.

HÉLÈNE

Le soir va descendre bientôt et il ne fait seulement pas froid.

SIMON

As-tu trouvé la musique que tu aimes?

CHRISTINE

Oui.

SIMON

Je danserai avec toi tout à l'heure.

CHRISTINE

C'est vrai que vous n'avez pas froid, Hélène?

HÉLÈNE

Si je fermais les yeux, je me croirais en été...
Rentre avec Christine, Simon.

SIMON

Il y a encore trop de gens à l'intérieur. Je préfère rester un peu.

CHRISTINE

Quand ils seront tous partis, nous ferons jouer la musique très fort, et nous danserons au bord de la falaise.

SIMON, *qui rit, amusé*

Tu as de drôles d'idées.

CHRISTINE

Si tu retardes, je vais m'ennuyer pour mourir... Vous resterez avec nous, Hélène... *(En s'éloignant.)* Je veux que nous soyons heureux...

Elle s'éloigne et retourne à la maison. Silence.

HÉLÈNE

Tu ne mérites pas ses attentions.

SIMON

J'ai été gentil.

HÉLÈNE

Qui est-elle pour toi?

SIMON

Rien. Un rayon de soleil de Scandinavie. Une fille blonde, pure, parfaite, trop parfaite, qui a toujours des tas de choses à dire, mais qui ne les dit jamais parce qu'elle est toujours à bout d'âme.

HÉLÈNE

Tu ne l'aimes pas?

SIMON

Je n'aime pas les petites filles.

HÉLÈNE

Pourquoi?

SIMON

J'ai peur de mes desseins devant leur état de grâce.

HÉLÈNE

Elle semble si fragile. Elle est d'une beauté qui fait mal.

SIMON

Elle vit sur la mauvaise planète.

HÉLÈNE

Je suis certaine qu'elle tient profondément à toi et que tu joues un jeu dangereux.

SIMON

C'est possible. Chacun de ses gestes est comme un aveu. On dirait qu'elle vacille quand elle marche, sa voix tremble quand elle parle. Mais je n'y peux rien.

HÉLÈNE

Elle aussi souffre à cause de toi, Simon.

SIMON

Je ne sais pas, je ne veux pas me l'avouer
et je mets des distances entre elle et moi.

HÉLÈNE

Quand elle a parlé de cet épervier, elle était
au bord des larmes.

SIMON

Tout le monde est malheureux, à ce compte,
c'est commun.

HÉLÈNE

Toi aussi?

SIMON

Moi aussi... à mes heures.

HÉLÈNE

Et de quoi souffres-tu?

SIMON

Parfois de ne pas souffrir et parfois de ne pas aimer ; ou de me sentir vide, ou d'être seul, d'être égaré comme Christine parmi les êtres qui m'entourent. Je souffre quand je désire et quand je ne désire pas. Je souffre du rien, de l'absence. Je souffre de vivre constamment avec cet inconnu qui s'est logé depuis longtemps au fond de moi-même.

HÉLÈNE

Tu arrives au moins à placer des mots sur ta détresse, d'autres ne le peuvent pas. Et pourtant, tu n'as rien fait de plus que les autres. Tu te sers de ton cerveau et de ta force de séduction pour briser, pour anéantir ce qui demande à naître, à vivre.

SIMON

Pourquoi restes-tu près de moi si tu me détestes tellement ?

HÉLÈNE

Pour bien te regarder. Pour être certaine que ta lâcheté ne t'a pas rendu heureux.

SIMON — Attention, Christine !... Appuie ton pied sur la grosse pierre. Serre-moi la main mieux que ça...

CHRISTINE — Moi, je n'ai pas eu peur, Simon. C'était comme si on avait joué avec la mort. Mais je n'avais pas peur. Tu étais mon vertige et tu m'attirais vers le haut. C'est drôle, hein !

MADAME JOHANSSEN — C'est pourtant ce qu'on doit faire avec les enfants aujourd'hui.

HÉLÈNE — Qu'est-ce que vous faites ici?

SIMON — Bon... Je vois que vous m'en voulez toujours, que vous n'avez pas cessé de me détester.

CHRISTINE — Ah! Regarde, il y a un oiseau dans le ciel. C'est un épervier, à la façon qu'il plane.

SIMON — Chut!... Christine!... Elle nous a vus, elle s'amène ici!...

MADAME JOHANSSEN — Je ne crois pas. Elle n'aurait pas emprunté la porte de la terrasse pour aller vers la route.

SIMON

Si tu peux te consoler ainsi...

HÉLÈNE

Ce n'est pas une question de me consoler, je veux simplement constater... Maintenant, va rejoindre Christine, je désire être seule un instant.

SIMON

Non. Je suis trop bien ici. Je ne peux plus me détacher. Ni de toi, ni des arbres, ni du ciel. J'aime m'incruster dans ces bonheurs qui sont hors du temps, tenter de les retenir contre toute raison.

HÉLÈNE

C'est tout simplement l'été indien, c'est ainsi chaque année...

SIMON

Octobre...

HÉLÈNE

Tu aimes toujours le mois d'octobre?

SIMON

Toujours. Comme le mois de mai. Ce n'est ni tout à fait une saison, ni tout à fait une autre. Ce n'est pas le printemps, ce n'est pas l'été, ce n'est pas l'automne, ni l'hiver. Ce sont des intermèdes avant le triomphe de la vie et de la végétation, avant la certitude de la neige et de la mort. Je suis l'homme des arrière-saisons.

HÉLÈNE

Tu ne seras jamais à l'aise que dans une réalité de passage, hein?

SIMON

Au temps où nous nous aimions, nos rencontres avaient toujours lieu vers la fin des après-midi, quand ce n'était plus le jour, quand ce n'était pas encore la nuit.

HÉLÈNE

Entre chien et loup. À mi-chemin entre la pénombre et les ténèbres. Tu me le répétais sans cesse.

SIMON

À cette heure, tes lèvres étaient plus tendres, tes yeux plus lumineux et le vin que nous buvions plus doux.

HÉLÈNE

La musique que nous écoutions devenait facile. Nous devenions perméables aux mélodies les plus obscures. Dans la pénombre de ta chambre les titres des livres de ta bibliothèque flambaient comme de l'or.

SIMON

Tu n'as rien oublié? Tu te souviens de nos après-midi?

Chambre de Simon.

Une autre fois la nuit totale se fait graduellement sur le décor. Ce qui permet aux personnages de changer de position. Hélène se couche sur la chaise longue de toile bien raidie et Simon s'assied tout près d'elle. Ce simple décor représente maintenant la chambre de Simon. Sur le phono tourne la finale de Tristan et Isolde *de Wagner.*

SIMON

Quand tu entendras cette musique, tu penseras à moi le reste de tes jours, ma chérie.

HÉLÈNE

C'est bien ce qui est effroyable : je ne cesse jamais de penser à toi. Parfois j'ai peur d'en mourir ou de m'évanouir à la vie.

SIMON

Dire que j'aurais pu ne jamais te rencontrer, ne jamais te connaître, ne jamais t'aimer. Aujourd'hui, je n'imagine pas que ma vie puisse se passer sans toi. Comme tu es belle dans la demi-clarté de cette fin de jour !

HÉLÈNE

Ce n'est pas la fin du jour, c'est la fin du monde. Viens, viens plus près de moi. *(Elle l'attire.)* Je ne peux pas souffrir que tu sois loin. Toi aussi tu es beau. Tu es jeune, tu es mon amant.

SIMON

Tu ne me quitteras jamais, dis que tu ne me quitteras jamais.

HÉLÈNE

Si l'un des deux devait quitter l'autre, j'ai bien peur que ce soit toi, mon amour.

SIMON

Comment pourrais-je le faire? Tu es mon éternité, il n'y a qu'avec toi que je me sente immortel.

HÉLÈNE

Comme l'égal de Dieu?

SIMON

Oui, c'est ça, comme l'égal de Dieu.

Et ils s'embrassent longuement. Puis lentement, Simon s'étend sur elle et reste aussi longtemps les lèvres collées à ses lèvres. Ils restent ainsi quelques secondes sans bouger.

La nuit se fait complètement et quand la lumière revient...

Terrasse et jardin extérieur villa.

Simon et Hélène ont retrouvé les positions qu'ils occupaient avant cette deuxième scène de souvenir. La musique de Tristan *s'est dissoute dans le passé.*

SIMON

C'était trop merveilleux... Jamais nous ne pourrons oublier, tu vois ?

HÉLÈNE

Pourquoi es-tu là de nouveau ?

SIMON

Je devais te voir, te rencontrer. C'était notre destin. Ici ou ailleurs c'était notre destin.

HÉLÈNE

Tu savais que je viendrais ?

SIMON

Oui. Je l'ai entendu dire par Madame Johanssen à Christine.

HÉLÈNE

Si j'avais su, je me serais abstenue de...

SIMON

Au contraire, ç'aurait été plus fort que toi. Je suis très heureux maintenant de t'avoir retrouvée.

HÉLÈNE

Ce n'est pas moi que tu as retrouvée mais une autre. Une autre que tu essaies de perdre un peu plus.

SIMON

Tout à l'heure, quand nous avons évoqué nos amours passées, j'ai senti que je te retrouvais.

HÉLÈNE

Ce n'était que des amours passées.

SIMON

Et l'avenir aussi! Rien n'a vraiment changé, tu sais. Le monde est encore plus beau, la vie plus fascinante qu'à notre première nuit d'amour, Hélène.

HÉLÈNE

Des mots. Des mots qui grisent pour mieux briser ensuite.

SIMON

Des mots qui ressuscitent la flamme au fond des yeux blessés qui s'éteignent.

HÉLÈNE

C'est fini à jamais! Va retrouver Christine.

SIMON

Christine n'existe pas. Christine n'est qu'une âme de passage. Christine n'a plus rien à me dire. Ses pensées sont gelées en son corps, elle est de givre, lointaine, pure, inatteignable.

HÉLÈNE

Je vais partir, Simon, je vais quitter Madame Johanssen et ses invités.

SIMON

Non, reste! Si tu pars, tu seras malheureuse, tu auras froid, tu seras seule, seule comme une pierre. Demain, l'hiver viendra et tu crieras mon nom dans la nuit, tu voudras me savoir près de toi, tu auras besoin de mon souffle, de mes mots, de ces mots mêmes que tu rejettes parce que tu les crains.

HÉLÈNE

Tais-toi, Simon, je t'en supplie: tais-toi!

SIMON

Regarde-moi! Je suis resté celui que tu as connu, mes forces sont neuves et mes désirs iné-puisables!

HÉLÈNE

Je te regarde. Je n'ai jamais craint de te re-garder. Et je vois resplendir ta jeunesse, c'est vrai.

Mais elle ne brille plus au point de voiler ton profond égoïsme.

SIMON

Tu sais bien que tous les deux nous sommes condamnés à penser éternellement à nous-mêmes.

HÉLÈNE

Je sais aussi que je ne te posséderai vraiment jamais !

SIMON

Tu posséderas mes heures, ma présence, mes sortilèges.

HÉLÈNE

Mais je ne posséderai jamais ni le fond de ton cœur, ni ta vie.

SIMON

Toi et moi, ce sont des choses que nous ne pouvons pas donner. Nous l'exigeons des autres, mais nous gardons tout pour nous. Avoue-le au moins!

HÉLÈNE

Ce n'est pas toi que je cherche, Simon, pas véritablement toi, mais un amour sans loi, qui me place au-delà de la vie ordinaire et des amours courantes. Je suis à jamais dégoûtée de ma petite routine bourgeoise.

SIMON

Regarde! Le soleil penche sur l'archipel. Bientôt, ce ne sera ni le jour, ni la nuit, bientôt nous ne saurons plus si nous sommes devenus ombres ou lumière. Ce sera notre heure. Déjà, c'est notre heure.

HÉLÈNE

C'est vrai. Je la sens qui s'approche et m'environne, qui m'enveloppe de ses mille mains grises, de ses bras de velours!

SIMON

C'est notre heure d'amour et d'éternité, notre heure de mensonge et d'abandon.

57

Il l'a prise dans ses bras, elle ne résiste plus.

HÉLÈNE

J'ai l'impression que tu ne m'as jamais quittée.

SIMON

J'étais fait pour te retrouver.

HÉLÈNE

Comme je suis faite pour t'aimer.

SIMON

Je t'ai retrouvée telle que je t'aime, sans mesure et sans remords.

Ils s'embrassent. Christine, qui vient de sortir de la villa, les aperçoit et s'immobilise. Elle les regarde étrangement puis disparaît du côté de la falaise.

58

SIMON

Douce Hélène sans âge, tu ne sauras jamais combien tu m'as manqué depuis tout ce temps.

HÉLÈNE

Toi aussi, tu m'as manqué. Cruellement!

SIMON

Comment as-tu vécu durant cette longue absence?

HÉLÈNE

Je ne sais pas. On dirait justement que je n'ai pas vécu... Ne me demande pas de me rappeler. Si je regarde en arrière, je serai triste. Il y a comme un grand trou noir, comme un vide où j'ai failli sombrer mille fois.

SIMON

Qu'est-ce que c'était ce grand trou noir?

HÉLÈNE

C'était ton absence, c'était l'ennui.

SIMON

Tu as connu l'ennui, toi aussi?

HÉLÈNE

Oui. Et c'était affreux.

SIMON

Ce n'est pas tellement de souffrir mais d'être enserré d'ennui qui est atroce. Il ne faut jamais plus connaître ça, Hélène.

HÉLÈNE

Oh non! Jamais!

SIMON

Moi, quand je t'ai laissée, j'ai retrouvé ma peur, ma peur de vivre et de mourir, ma peur de tout et de rien... Maintenant, cela aussi va s'en aller avec l'ennui; maintenant, je n'aurai plus jamais peur, tu seras près de moi quand le jour tombera et je ne craindrai ni les ténèbres, ni la nuit, ni les monstres qui m'habitent.

HÉLÈNE

Tu ne me quitteras plus?

SIMON

Non.

HÉLÈNE

Dis-moi que tu l'aurais aimé, l'enfant que nous aurions eu ensemble?

SIMON

Aujourd'hui, je l'aurais aimé. J'aurais su accepter.

HÉLÈNE

Attention! Quelqu'un vient!

Paraît Madame Johanssen qui semble chercher quelqu'un et qui s'approche d'eux.

SIMON

C'est Madame Johanssen.

HÉLÈNE, *changeant de ton*

Vous racontez très bien, Simon. Je n'ai jamais écouté de récit de voyages plus intéressant.

SIMON

Ce n'est pas tout, j'en aurais pour des heures encore.

MADAME, *en s'approchant*

Pardonnez-moi d'interrompre votre conversation, je...

HÉLÈNE

Vous n'avez pas à vous excuser, ma chère amie. Je crois plutôt que ce serait à nous de nous repentir. Nous avons déserté votre fête et vos amis une bonne partie de l'après-midi.

SIMON

Vous nous prenez en pleine faute.

MADAME

Vous avez bien fait. Une journée semblable...
Je ne comprends pas que nous ne soyons pas sor-
tis, nous aussi... Dites-moi, Hélène: vous n'auriez
pas vu Christine, il y a un instant?

HÉLÈNE

Non. Elle est venue bavarder avec nous, tout
à l'heure, mais depuis nous ne l'avons pas revue.

MADAME

Ah!...

SIMON

Il se passe quelque chose, Madame Johanssen?

MADAME

Je suis un peu inquiète, c'est tout... Quand
elle est sortie, il y a de ça quelques minutes, elle
m'a semblé étrange.

HÉLÈNE

Ne serait-elle pas allée se promener au bord de la route?

MADAME

Je ne crois pas. Elle n'aurait pas emprunté la porte de la terrasse pour aller vers la route.

SIMON

Nous aurions pourtant dû la voir si...

HÉLÈNE

Mais oui. Il est vrai qu'il fait déjà nuit.

MADAME

Je connais Christine. Elle a parfois des impulsions bizarres.

HÉLÈNE

Rentrez, chère amie. Allez vous occuper de vos derniers invités, nous nous chargeons de la retrouver. Je connais quelqu'un ici qui n'aimerait pas du tout la perdre.

SIMON

Nous vous promettons de la ramener avec nous.

MADAME

Vous n'avez pas froid ? Si vous avez besoin de châle ou de tricot, vous n'avez qu'à le dire.

HÉLÈNE

Ce ne sera pas nécessaire.

MADAME

Bien. Je vous quitte... À tout à l'heure.

Et Madame Johanssen retourne à la villa.

SIMON

Penses-tu qu'elle se doute de quelque chose ?

65

HÉLÈNE

Non... Quoique cette histoire de Christine m'a semblé un prétexte... Tu es inquiet ?

SIMON

Non.

HÉLÈNE

Tu me parais angoissé.

SIMON

Si Christine est vraiment sortie, elle a dû nous voir.

HÉLÈNE

Nous étions cachés par les arbustes.

SIMON

Elle a dû nous voir quand même !

HÉLÈNE

Qu'est-ce que tu as, Simon, tu n'es plus le même ?

SIMON

Je n'ai rien.

HÉLÈNE

Ta voix tremble, on dirait.

SIMON

C'est la fraîcheur qui tombe.

HÉLÈNE

Tu as froid ?

SIMON

Pas encore.

HÉLÈNE

Moi non plus. Je suis bien avec toi. De toute ma vie, je n'ai été bien qu'avec toi.

SIMON

Tu n'as jamais vraiment aimé d'autre que. moi? Vraiment jamais?

HÉLÈNE

Jamais.

SIMON

C'est étrange.

HÉLÈNE

Quoi?

SIMON

Une femme qui aime.

HÉLÈNE

Pourquoi?

SIMON

Ça tremble et ça frissonne et ça dit que ça n'a pas froid.

HÉLÈNE

Serre-moi plus fort, je n'aime pas la nuit.

SIMON

C'est une bête géante qu'il faut terrasser. À nous deux nous y parviendrons.

HÉLÈNE

Demain, nous retrouverons notre heure.

SIMON

Oui, Hélène.

HÉLÈNE

Et tous les autres jours de la vie.

SIMON

Notre amour sera doux comme la mort.

HÉLÈNE

Ne parle pas de mort. Tu me fais peur.

SIMON

Moi, je n'ai pas peur. L'amour dont je rêve a parfois le goût de la mort.

HÉLÈNE

Simon!

SIMON

Tout est si changeant autour de nous. Il y a un instant nous étions en pleine lumière. Maintenant nous sommes devenus des ombres. Les fleurs, les feuilles, les plantes ont passé. Mais nous demeu-

rons, moins fragiles que les choses, mais déses-
pérés de vivre, incapables de repos.

HÉLÈNE

Nous ne pouvons plus nous reprendre. Maintenant, je suis de nouveau à toi pour toujours.

SIMON

Toujours, jamais, toujours, jamais... C'est ce
que les vagues du fleuve répètent sans répit...
Christine aussi est devenue une ombre. Une ombre
seule, trompée, meurtrie.

HÉLÈNE

Moi aussi, un jour, tu m'as laissée seule.
Comme elle, tu m'as trompée, comme elle, je me
suis sentie meurtrie.

SIMON

Mais toi tu es une femme alors que Christine
n'est qu'une petite fille.

HÉLÈNE

Les petites filles ne souffrent pas comme les femmes. Elles croient avoir mal mais ne savent pas ce que c'est vraiment.

SIMON

Écoute! As-tu entendu ce bruit du côté de l'eau?

HÉLÈNE

Ce sont les vagues du fleuve qui frappent la falaise.

SIMON

J'ai entendu un autre bruit. Comme des pas qui s'avançaient dans l'eau... Encore... Je les entends encore.

HÉLÈNE

Tu as trop d'imagination. N'écoute plus, c'est le clapotis de l'eau contre le flanc d'une barque.

SIMON

Laisse-moi me séparer de toi, un moment, laisse-moi courir à la falaise. Je veux voir, je veux me rendre compte moi-même. Il faut que je la cherche.

HÉLÈNE

Tu ne verras rien, la nuit est trop noire.

SIMON

Ça m'est égal. Avec Christine, on peut craindre le pire.

HÉLÈNE

Elle va revenir d'elle-même. Ne me quitte pas.

SIMON

Pour une minute seulement.

HÉLÈNE

Non. Ne pense plus à elle. Il faut que tu t'habitues à ne plus penser qu'à toi, qu'à moi.

73

SIMON

Ne fais pas l'enfant, Hélène. C'est sérieux en ce moment.

HÉLÈNE

Oui, c'est très sérieux et j'ai trop peur de te perdre pour te laisser courir comme ça.

SIMON

Tu es folle, voyons! Maintenant que je t'ai retrouvée tu crois que je voudrais t'abandonner?

HÉLÈNE

J'ai trop peur de te perdre pour la vie une seconde fois.

SIMON

Si tu m'aimes, tu vas me permettre d'aller à la recherche de Christine.

74

HÉLÈNE

Non. Si toi tu m'aimes vraiment tu vas oublier Christine. Tu vas partir pour la ville tout de suite avec moi.

SIMON

Mais je ne peux pas faire ça !

HÉLÈNE

Oui, tu le peux. Si tout ce que tu m'as dit est vrai, tu le peux.

SIMON

Sois raisonnable, ma chérie.

HÉLÈNE

Je n'ai rien fait de raisonnable depuis que je t'ai retrouvé. Maintenant je crains que tu ne me reviennes jamais si je te permets de me laisser un seul instant pour Christine.

SIMON

Je vais la chercher et je reviens, je dois le faire ! Je dois !

HÉLÈNE

Non ! Je ne veux pas que ta pensée soit ailleurs une seule parcelle du temps qui nous est donné.

SIMON *crie*

Mais il le faut... Attends-moi, mon amour !

HÉLÈNE

Ne me quitte pas !

SIMON

Je reviens.

HÉLÈNE

Ne me quitte pas !

SIMON

Je t'aime, ma chérie.

HÉLÈNE

Ne me quitte pas, Simon.

SIMON *hurle*

Mais tu ne sens pas qu'il se passe des choses très graves?

HÉLÈNE

Ce sont des prétextes pour me fuir. Maintenant que notre heure est finie, tu ne m'aimes déjà plus. Tu es un tricheur! Tu es un monstre!

SIMON, *qui ne l'écoute plus, sort en criant:*

Christine!

HÉLÈNE

Non, Simon.

SIMON

C'est son châle ! (*Son châle est resté accroché dans les arbustes.*) Christine !...

Bords de la falaise.

Le décor redevient complètement noir puis un rayon de lumière solitaire se pose sur la tête et les épaules d'Hélène comme une caresse. Comme au début Hélène se retrouve toute seule, très droite, au milieu du décor.

HÉLÈNE

Ce beau dimanche d'octobre n'était qu'un jour de mensonge et d'illusion, que la répétition cruelle d'un adieu. Il avait d'abord revêtu toutes les apparences de la douceur et de la tendresse pour mieux cacher ses émanations de tragédie. Christine était tombée de la falaise et s'était noyée. Simon arriva trop tard pour la sauver. Ainsi prit fin la fête. C'était le mois d'octobre. On aurait dit le printemps. Mes mains étaient vides, mon cœur était désert. Simon disparut et je ne le revis jamais. Je l'imagine quelquefois, seul, perdu en ce monde, cherchant désespérément à trouver quelque amour impossible, traînant derrière lui son éternelle culpabilité d'enfant malade. Et je sais qu'il ne deviendra jamais un homme.

Et ce dernier rayon de lumière s'éteint doucement sur Hélène.

FIN

TABLE

DU MÊME AUTEUR

Dans la Collection Théâtre Leméac

Zone. Éditions de la Cascade, 1955, épuisé. Les Écrits du Canada français, Vol. II, épuisé. Leméac, collection Théâtre canadien, numéro 1, 1968.

Les beaux dimanches. Leméac, collection Théâtre canadien, numéro 3, 1968.

Bilan. Leméac, collection Théâtre canadien, numéro 4, 1968.

Pauvre amour. Leméac, collection Théâtre canadien, numéro 6, 1968.

Le temps des lilas. L'Institut littéraire du Québec, 1958, épuisé. Leméac, collection Théâtre canadien, numéro 7, 1969.

Au retour des oies blanches. Leméac, collection Théâtre canadien, numéro 10, 1969.

Florence. Les Écrits du Canada français, Vol. IV, texte pour la télévision, épuisé. L'Institut littéraire du Québec, 1960, épuisé. Leméac, collection Théâtre canadien, numéro 16, 1970.

Le coup de l'étrier et *Avant de t'en aller*. Deux pièces en un acte. Leméac, collection Théâtre canadien, numéro 17, 1970.

Un matin comme les autres. Leméac, collection Théâtre canadien, numéro 14, 1971.

Le naufragé. Leméac, collection Théâtre canadien, numéro 22, 1971.

L'échéance du vendredi et *Paradis perdu*. Leméac, collection Répertoire québécois, numéro 20/21, 1972.

Médée. Leméac, collection Théâtre canadien, numéro 27, 1973.

De l'autre côté du mur, suivi de cinq courtes pièces. Leméac, collection Théâtre canadien, numéro 29, 1973.

Virginie. Les Écrits du Canada français, Vol. XXIV. Tiré à part aux frais de l'auteur. Leméac, collection Théâtre canadien, numéro 37, 1974.

L'impromptu de Québec ou *Le testament*. Leméac, collection Théâtre canadien, numéro 40, 1974.

L'été s'appelle Julie. Leméac, collection Théâtre Leméac, numéro 43, 1975.

Le réformiste ou *l'honneur des hommes*. Leméac, collection Théâtre Leméac, numéro 61, 1977.

Chez le même Éditeur

Entre midi et soir. Leméac, collection Le monde de Marcel Dubé, numéro 1, 1971.

Textes et documents. Leméac, 1968. Nouvelle édition: Leméac, collection Documents, numéro 6, 1973.

La tragédie est un acte de foi. (*Textes et documents*, deuxième partie) Leméac, collection Documents, numéro 7, 1973.

Manuel. Leméac, collection Les beaux textes, 1973.

Jérémie. (Argument de ballet) Leméac, collection Spectacles, numéro 1, 1973.

La cellule. Leméac, collection Le monde de Marcel Dubé, numéro 2, 1974.

Poèmes de sable. Leméac, collection Poésie Leméac, numéro 5, 1974.

En collaboration

Hold-up. En collaboration avec Louis-Georges Carrier. Leméac, collection Répertoire québécois, numéro 1, 1969.

Dites-le avec des fleurs. En collaboration avec Jean Barbeau. Leméac, collection Théâtre Leméac, numéro 55, 1976.

Autre Éditeur

Le train du Nord. (Courte nouvelle) Les Éditions du Jour, 1961, épuisé.

Un simple soldat. L'Institut littéraire du Québec, 1958, épuisé. Les Éditions du Jour, 1967.

DANS LA MÊME COLLECTION

23. *Trois Partitions* de Jacques Brault, introduction de Alain Pontaut, 193 p.

24. *Diguidi, diguidi, ha! ha! ha!* et *Si les Sansoucis s'en soucient, ces Sansoucis-ci s'en soucieront-ils? Bien parler c'est se respecter!* de Jean-Claude Germain, introduction de Robert Spickler, 194 p.

25. *Manon Lastcall* et *Joualez-moi d'amour* de Jean Barbeau, introduction de Jacques Garneau, 98 p.

26. *Les Belles-sœurs* de Michel Tremblay, introduction de Alain Pontaut, 156 p.

27. *Médée* de Marcel Dubé, introduction d'André Major, 124 p.

28. *La vie exemplaire d'Alcide 1er le pharamineux et de sa proche descendance* de André Ricard, introduction de Pierre Filion, 174 p.

29. *De l'autre côté du mur* suivi de cinq courtes pièces de Marcel Dubé, préface de Marcel Dubé, 214 p.

30. *La discrétion, La neige, Le Trajet* et *Les Protagonistes* de Naïm Kattan, introduction de Laurent Mailhot, 144 p.

31. *Félix Poutré* de L. H. Fréchette, introduction de Pierre Filion, 144 p.

32. *Le retour de l'exilé* de L. H. Fréchette, introduction de Alain Pontaut, 120 p.